AINARA

EL BARCO DE VAPOR

La fuerza de la gacela

Carmen Vázquez-Vigo

Premio Lazarillo 1973
Premio Nacional de Literatura Infantil 1992

Ilustraciones de Jesús Gabán

ainara 3ªA
sauca

www.literaturasm.com

Primera edición: septiembre 1986
Trigésima tercera edición: marzo 2011

Dirección editorial: Elsa Aguiar

© Carmen Vázquez-Vigo, 1986
© Ediciones SM
  Impresores, 2
  Urbanización Prado del Espino
  28660 Boadilla del Monte (Madrid)
  www.grupo-sm.com

ATENCIÓN AL CLIENTE
Tel.: 902 121 323
Fax: 902 241 222
e-mail: clientes@grupo-sm.com

ISBN: 978-84-348-2040-1
Depósito legal: M-14732-2010
Impreso en la UE / *Printed in EU*

En la selva de Congolandia
todos los animales,
grandes y pequeños,
vivían en paz.
La serpiente, por jugar,
se enroscaba
en la gorda pata
del elefante.
El hipopótamo tomaba el sol
panza arriba
soltando unos bostezos
que hacían temblar la tierra.

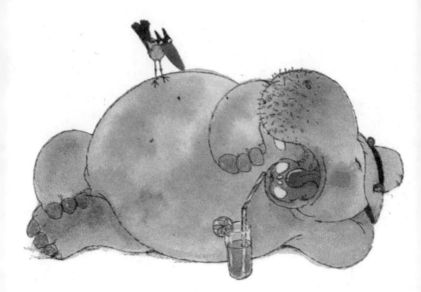

Los osos bailaban
al son de una música
que sólo ellos oían.
La jirafa
llevaba sobre su lomo,
trotando,
a los hijos del leopardo.

Tenían un rey,
León I,
muy viejo.
Y, como casi todos los viejos,
sabio.
No se enfadaba
ni cuando su hijo Leoncín
se negaba
a tomar clase de rugidos
porque decía
que era aburridísimo.

El joven león,
en vez de rugir,
se ponía a imitar
el grito de Tarzán,
que andaba por ahí
de rama en rama
con sus monos detrás.

Pero un día
se acabó la tranquilidad.
Un tigre
venido de lejanas tierras
estaba sembrando el terror
entre los súbditos de León I.
No dejaba cebra,
jabalí o conejo
con vida.
De ese modo,
los demás animales carnívoros
de la selva
se quedaban sin comer.
Los cachorros
ya no podían salir
de sus casas
para jugar y correr
a sus anchas,
por miedo a que los cazara.
A una hija del elefante
estuvo a punto
de echarle la garra encima

y la pobre se llevó tal susto
que se quedó muda.
A partir de ese momento
no pudo barritar
ni poco ni mucho.

(Esta cosa tan rara, barritar,
es lo que hacen los elefantes
para expresarse,
siempre y cuando
no se hayan quedado mudos
como la desdichada elefantita.)

Flacos
por la falta de alimentos,
demacrados
por las noches sin dormir,
nerviosos
por el perpetuo miedo,
los animales no encontraban
remedio a sus males.

Para buscarlo,
León I los reunió a todos
en un claro que había
frente a su cueva-palacio.
Se retorcía los bigotes y,
por sorprendente que pareciera,
pues era muy cuidadoso
de su aspecto,
llevaba la corona caída
sobre una oreja.

—Mis amados súbditos
–dijo con voz algo trémula
a causa del hambre
y el disgusto–:
os he convocado
para que entre todos
tratemos de solucionar
la grave situación
que estamos padeciendo.

—¡Muy bien!
–gritaron los animales,
entusiasmados.

19

—No podemos seguir
soportando la presencia
de ese tigre extranjero
que vacía nuestra despensa,
nos impide dormir tranquilos
y nos convierte
en un pueblo temeroso.
—¡Y deja mudos
a nuestros hijos!
–se lamentó el elefante,
mientras su hija
asentía con la cabeza.

El rey
les dirigió una mirada compasiva
y continuó:
—¡Nuestra dignidad
nos obliga a hacerle frente
dejando atrás el miedo!
—¡Muy bien dicho!
–corearon de nuevo.
—Siempre hemos sido
amantes de la paz.
Si alguna vez
nos comimos un explorador,
fue en épocas de necesidad.

Pero ya no es posible la paz,
con un enemigo
que nos acosa por todas partes.
¡Hay que acabar con él!

—¡Bravo!

—¡Todos con nuestro rey!

—¡Viva León I!

El monarca sonrió satisfecho
y preguntó:
—¿Quién se ofrece
para llevar a cabo esta misión?
Hubo un largo silencio.

Cada uno miraba a su vecino
como si la cosa no fuera con él.
Nadie parecía decidirse.

25

—¡Estoy esperando!
–dijo el rey,
echándose la corona
sobre la otra oreja
en un gesto de irritación.

Su hijo Leoncín pensó que,
siendo el heredero del trono,
debía dar ejemplo.
Y se adelantó.

—¡No se puede negar
que eres de mi misma sangre!
—exclamó el monarca,
satisfecho—.
¿Y qué piensas hacer
cuando te encuentres
con el enemigo?
Porque lo que es rugir,
lo haces fatal.
—Aunque soy joven,
tengo fuertes garras
y afilados colmillos.
Sabré usarlos, padre.
Entonces la serpiente,
el leopardo y el elefante
también dieron
un paso al frente.
No iban a permitir
que Leoncín fuera
el único capaz
de demostrar valor
en un momento tan crítico.

28

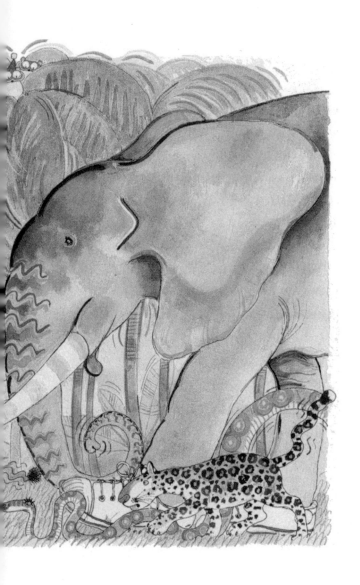

—¡Ajá...! Veo que todavía
puedo estar orgulloso
de mi pueblo
–dijo el rey–.
Seguro que entre los cuatro
conseguiréis
devolvernos la tranquilidad.
Id ahora mismo
y que tengáis suerte.
Los bravos guerreros
se marcharon
entre aplausos
y gritos de entusiasmo.

Pero los que se quedaban
pasaron horas
de gran inquietud.
¿Qué les sucedería
a sus cuatro amigos?

¿Traerían la piel del intruso
como trofeo?

¿O serían
víctimas de su crueldad?

¿Podrían, al fin,
vivir tan felices como antes?

Tuvieron la respuesta
al día siguiente,
cuando los aguerridos viajeros
se presentaron ante León I
y los demás habitantes
de la selva.

Por desgracia, su aspecto
no era nada victorioso.
Venían cabizbajos
y con señales
de haber sido derrotados
en la contienda.
Uno junto a otro
guardaban silencio
esperando
que alguno se atreviera
a ser el primero
en relatar lo ocurrido.

—¡Que es para hoy!
–tronó el monarca
de muy mal genio.

El leopardo,
con una pata en cabestrillo,
se decidió a hablar.

—Majestad...,
ese tigre extranjero
es la fiera más terrible
que he conocido.

Cuando yo estaba al acecho
para atacarlo,
me descubrió
y se lanzó sobre mí
sin darme tiempo siquiera
a decir:

¡Viva África!

Y ya lo veis...,
me dejó esta pata
en tales condiciones
que no sé si tendré que andar
con muletas
el resto de mi vida.

—A mí —contó el elefante—
me dio un zarpazo tan feroz
en la trompa
que no puedo
tomar mis alimentos
más que con cuchara.

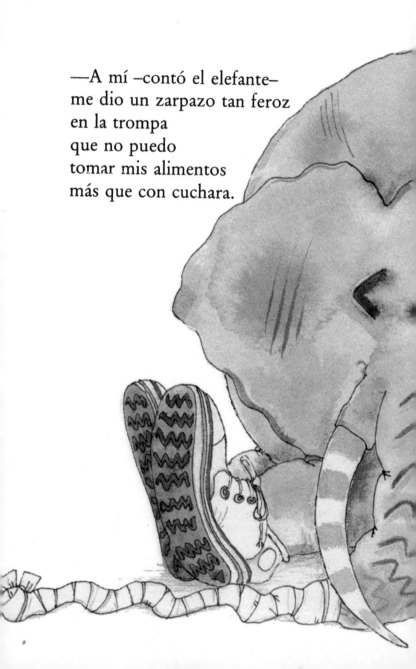

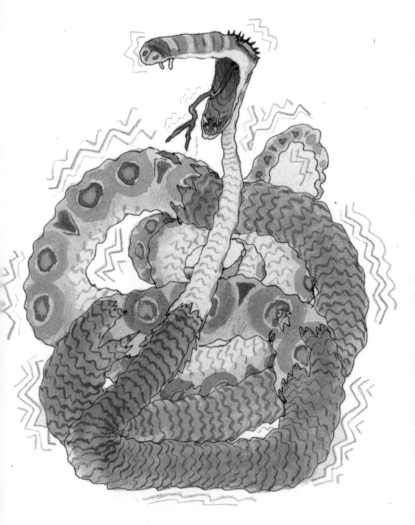

¡Qué humillación
para un animal de mi raza!
—Yo no tuve mejor suerte
–dijo la serpiente–.
Quise utilizar la astucia,
como tengo por costumbre,
y esperé
a que el tigre estuviera dormido
para clavarle
mis colmillos envenenados.
Pero el muy traidor
estaba despierto.
¡Y bien despierto!
Tanto que,
cuando me tuvo cerca,
se abalanzó sobre mí
llevándose la mitad de mi piel.
–Y diciendo esto
tiritó de frío–.
¡No sé
cómo voy a pasar el invierno
así, casi desnuda!

Leoncín,
por ser el hijo del rey,
se sentía más avergonzado
que sus compañeros.
Pero no le quedó más salida
que confesar la verdad.
—¿Os acordáis
de la hermosa borla
que adornaba la punta de mi rabo?
Pues bien,
el enemigo me lo cercenó
de un solo bocado
y ahora no parezco
ni siquiera un león.

Se dio la vuelta
para que todos
pudieran comprobarlo.
En efecto,
el rabo de Leoncín era
como el de un gato casero.
Nunca habían visto
al rey tan furioso.

—¡Sois un hatajo de imbéciles!
—exclamó—.
¡Si yo no fuera tan viejo,
os enseñaría
a luchar como es debido!

En las filas de atrás
sonó una voz débil y dulce.
—Tal vez yo...
—¿Eh? ¿Quién eres?
¡Habla más fuerte,

que no se te oye!
—Digo que tal vez
yo pueda conseguir
que el tigre nos deje tranquilos.
Todos giraron la cabeza
para ver quién hablaba.
Era la gacela,
el animal más indefenso
de la selva.
El único que no tiene
ni garras, ni veneno,
ni arma alguna
con que defenderse o atacar.

Sus palabras recibieron
carcajadas y frases burlonas.
—¿Lo vas a matar?
—O quizá se muera de miedo
al verte.
—¿Te comerás su cadáver?
Ella contestó con mucha calma:
—Ya sabéis
que soy vegetariana.

—A ver..., a ver...
–dijo el rey, intrigado–.
¿Qué puede hacer una gacela
que no hayan conseguido
los animales
más fuertes y poderosos?
—No lo sé todavía;
pero voy a probar.
Sin apresurar el paso
y sin importarle las burlas
que seguía oyendo a sus espaldas,
la gacela se alejó.

48

León I, temiendo lo peor,
se puso de pie.
—A vosotros
–dijo, dirigiéndose
a los cuatro
que habían vuelto derrotados–,
el tigre os puso en retirada,
pero, al menos,
salvasteis la vida.
A ella, en cambio,
se la tragará de un bocado.
Todos los que se reían
momentos antes
se quedaron serios,
con expresión preocupada.

Aunque pensaran
que era una insensata,
tenían cariño a la gacela
y no querían
que le pasara nada malo.
—¡Corred tras ella!
¡Detenedla!
—ordenó el rey.
Pero la madre
del elefante herido,
que era más vieja aún
que León I
y por eso más sabia,
dijo
con su voz de bajo profundo:
—Yo la dejaría...
—¿No ves que nosotros
no pudimos con el tigre?
—protestó Leoncín.
Ella contestó
con tono de reproche:
—No seas pretencioso.

Eso no quiere decir
que la gacela tampoco pueda.
—¡Pero está
en peligro de muerte!
–exclamó el leopardo.

El rey,
poniéndose derecha la corona,
decidió:
—La seguiremos
a prudente distancia.
Y cuando sea necesario,
intervendremos para defenderla.
Deslizándose entre la espesura
silenciosamente,
sin abrir la boca
y hasta conteniendo
la respiración,
fueron tras la gacela.

Ella, sin darse cuenta de nada,
anduvo
hasta que divisó al tigre
tumbado
a la sombra de un árbol.
Los demás
se quedaron agazapados
detrás de unos altos matorrales.
El tigre abrió un ojo perezoso,
pero no se sobresaltó
lo más mínimo
ni se puso en guardia.

¿Cómo iba a asustarse
de una gacela?
Ella continuó avanzando
hasta llegar a su lado
y le dijo:
—Nos tienes muy disgustados.
El tigre se incorporó
sin dar crédito a lo que oía.

—No se puede andar por el mundo
dando mordiscos
y arrancando pieles
—continuó la gacela—.
¿Te parece bonito?
Leoncín, en su escondite,
susurró:
—¡Ahora! ¡Ahora se la come!
Pero se equivocaba.

El tigre bajó la cabeza
y dijo:
—No creas que me gusta
vivir así.
Estoy solo.
Unos cazadores
mataron mi familia,
allá, tras las montañas.
Yo no os quería hacer mal,
pero tenía hambre...
Tus compañeros me atacaron
y me defendí.
La gacela parpadeó, pensativa,
y sus larguísimas pestañas
abanicaron el aire.

—¿Y si te dejamos
vivir con nosotros,
te portarás bien?
Los animales
que estaban al acecho
esperaban impacientes
la respuesta;
pero él,
azotando la tierra con el rabo,
parecía dudar.

Entonces
la gacela se le acercó más
y le dijo algo al oído.

El tigre la miró a los ojos,
se puso de pie
y echó a andar tras ella
como si nunca
hubiera roto un plato.

León I y sus acompañantes
se pegaron una carrera
para no ser descubiertos
y llegar primero al lugar
donde vivían.

Allí los encontró la gacela
y les contó
la conversación
que había tenido con el tigre
y que ellos ya conocían.
—¿Y sólo así
conseguiste amansarlo?

–preguntó el rey,
intrigado por saber
qué había dicho la gacela
al oído del tigre.
—Bueno, le dije algo más...
Le dije..., le dije...
La gacela trataba de recordar.
—¡Ah, sí! Le dije...
«Por favor».
Las dos palabras
que a nadie
se le había ocurrido usar,
corrieron de boca en boca
como una fórmula mágica.
Hasta la elefantita
que se había quedado muda
del susto
las pronunció
después de barritar a gusto
y tan fuerte
que de la palmera más cercana
cayó una lluvia de cocos.